CW00405917

Cerddi
Idwal Lloyd

Lluniau pin ac inc gan
Chris Neale

Argraffiad cyntaf—2000

ISBN 1 89502 897 7

Dymuna'r cyhoeddwyr gydnabod cymorth
Adrannau Cyngor Llyfrau Cymru.

Cyhoeddir gyda chymorth
Cyngor Celfyddydau Cymru.

Argraffwyd gan
Wasg Gomer, Llandysul, Ceredigion SA44 4QL

CYNNWYS

Carlo 11
Byd yr Anifail
  Prins—Y Ceffyl Trwm 12
  Bocser—Y Ceffyl Gwedd 12
  Y Fuwch 12
  Y Cob Cymreig 12
  Y Morlo 12
  Corgi Sir Benfro 14
  Cofio Mot 14
  Ysgyfarnog 14
  Llygoden Fawr 14
  Bwch Gafr Eryri 15
  Oen Bach 15
  Y Llwynog 15
Cwpledi 16
Englynion y Blodau
  Yr Eirlys 19
  Clychau Glas 19
  Gold y Gors 19
  Blodau'r Eithin 19
  Glaswelltyn (*Tygridia*) 19
  Rhosynnau 20
  Y Meillion Gwynion 20
  Rhosod Gwylltion 20
  Y Pabi 20
Cwpledi 22
Englynion yr Adar
  Yr Albatros 24
  Y Crëyr Glas 24
  Eryr y Môr 24
  Brân y Gors (*Raven*) 24
  Y Barcut 24
  Brân Tyddyn (*Carrion Crow*) 26
  Pioden 26
  Tylluan 26
  Y Gwcw 26
  Y Gïach 26
  Y Drudwy 27
  Y Fronfraith 27

Yr Hedydd	27
Y Wennol	27
Glas y Dorlan	27
Y Wennol Ddu	28
Yr Eos	28
Llwyd y To	28
Titw Tomos Las	28
Robin	28
Y Dryw	29
Cwpledi	30
Cath	32
Yr Oes Hon (Oes Od)	33
Tynged yr Iaith	34
Cwpledi	36
Clustog Fair (*Thrift*)	38
Penillion	39
Pedwar Tymor	42
Cwpledi	43
Er Cof am y brawd Caleb Rees, M.A. H.M.I.	44
Er Cof am Mrs Olive Sambrook, Cyd-Athrawes	44
Yng Nghwrdd Coffa W. R. Evans	45
Er Cof am Capten Daniel Evans, Abergwaun	46
Er Cof am Tom Beynon, Abergwaun	46
Er Cof	
John Garnon, Abergwaun	47
Mrs Emlyn Francis, Abergwaun	47
Mrs Wynford Lawrence, Trefin	47
Mr Ifor Harries, Abergwaun	47
Mrs M. Hughes, Rehoboth, Mathri	48
Er Cof am y chwaer Megan Lloyd Ellis	48
WM James, un o'r 'Brodyr James'	48
Mrs T. J. Williams, Caerau, Trefin	49
Y brawd John Edwards, Berea	49
William George, Blaenffos	49
Englynion Amrywiol	
Ein Gwlad	50
Pen Caer	50
Y Preseli	50
Nanhyfer	50
Hen Lofa	51
Gwanwyn	51

Ewyn 51
Hwyrddydd 51
Cwsg 52
Bai 52
Y Delyn 52
Papur Bro 52
Cyffes 52
Teyrnged 53
Drws Clo 53
Bugail 53
Twll (*yr un yn yr osôn*) 53
Llwch i'r Llwch 54
Medi 55
Y Crefftwr 56
Etifeddiaeth 56
Ein Priodas Aur 57
Machlud 58
Gwobr 60
Cywydd Ysgafn: Sŵn 61
Y Werin 62

CYFLWYNIAD

Ag yntau wedi troi ei 90 oed, wele Idwal Lloyd yn mentro cyhoeddi cyfrol o'i gerddi yn ateg i'w gyfrol gyntaf, *Cerddi'r Glannau*. Bardd Sir Benfro yw'n bennaf a bardd y werin. Bu wrthi trwy'i oes yn ymhel â'r gynghanedd—ei gariad cyntaf ym myd yr awen. Y cywydd a'r englyn fu'n brif gynhaliaeth iddo, a chreu epigramau bachog yn ail natur i'r prydydd. Daw ei graffter i'r golwg pan dry i fyd adar ac anifeiliaid; gall gofio'n annwyl am hen gyfeillion; gall beintio'i fro ar ganfas ac mewn cerdd. Bu Cymru a'i thraddodiadau yn annwyl iddo o'i blentyndod yn Mathri, trwy ddyddiau'r dysgu yn Lerpwl, Trefin a Blaenffos hyd at heddiw'r ymddeol. Ni fu pall ar ffrydiau'r awen, o gystadlu yma ac acw ac ennill laweroedd o weithiau, hyd at ennill droeon yn yr Eisteddfod Genedlaethol. Bu'n aelod o dimau ymryson a thalwrn, yn un o aelodau gwreiddiol Tîm Sir Benfro yn nyddiau cynnar Meuryn fel canolwr, hyd at ddyddiau Gerallt, y Meurynwr ifanc. Ymdroi yn nirgelion yr awen a'r gynghanedd fu'n gaeth iddo am gyfnod o amser—yn y tir hwnnw yr oedd bwrdd y wledd, a chyfranogodd yn helaeth o'r arlwy.

T. Gwynn Jones

CARLO

Dedwydd yng ngŵydd diadell
A fu hwn, na fu ei well;
Cydwedd teyrngar eiddgar oedd,
Un a welai drwy'r niwloedd;
Un o reddf y rhai addfwyn
Oedd a rôi'i ysgwydd i'r ŵyn.

I'w wir dasg mor barod oedd
O raddio ar y ffriddoedd:
Ar foel, a'r gwynt yn cryfhau
I'w luddias ar oleddau,
Bu yn gall a deallus—
Denodd yr haid yn ddi-rus
Ar waethaf rhew heth y fron
I glydwch y gwaelodion;
Fe'i heriwyd gan faharen
Ildiai'n nwyd o weld un wên!

Dan y bwrdd y dewin bach
A freiniwyd â chyfrinach
Ffridd y bryn, a phreiddiau bro
A'r hoen, ni welir heno
Â'i ben ar ei bawennau
Nes i gwsg ei ddilesgáu.
Nid yn hawdd y rhoem dan âr
Un gwallgof o gyfeillgar
Â'i gyfarchiad llygad llon,
A gwiw henffych ei gynffon.
Wedi'r golled, caledwaith
Ddaw i'm mwy o fynydd maith
Oni fo i'm un a fydd
O'i linach yn olynydd.

11

BYD YR ANIFAIL

PRINS—Y CEFFYL TRWM

Yn ei fyd roedd yn fodel—â'r mwnwgl
Crymanog aruchel;
Un mwyn ei drem, gem o gel
A chawr y fferm a'r chwarel.

BOCSER—Y CEFFYL GWEDD

Ei rin a gofir heno,—ei fron wen
A'i frenhinol osgo;
Yna caf o ddwfn y co'
Yr hen ias o'i harneisio.

Y FUWCH

Ei brid o deithi dethol—a'i ffrydlif
Yn hylif cynhaliol;
Medd anian mwy hamddenol
Na'r un ddaw o'r waun neu ddôl.

Y COB CYMREIG

Haliwr bro, un cryno cryf—yn hanu
O hynaf gre Cymru;
Y gwâr farch i'n gêr a fu
Ac un talog ein teulu.

Y MORLO

A'r môr treiddgar yn taro—â'i rym oer,
I'r marian dan lusgo
Y daw buwch wedi'i beichio
I fin llif i eni'i llo.

12

CORGI SIR BENFRO

Un cydnerth o liw cadno,—ci byrgwt,
   Ci bergoes di-ildio;
   Os di-frys yw da y fro
Ei hudlath fydd eu sodlo.

COFIO MOT

Diwylliwr diadelloedd—a'r gyrrwr
   Gorau fu o'i achoedd;
   Deallus, awyddus oedd
A'r glewaf ar graigleoedd.

YSGYFARNOG

Yn fanwl y clustfeiniodd—o'i heistedd;
   O ymestyn gwelodd
   Rhyw ben ffals; yn rhibin ffodd
Yr hirglust o du'r weirglodd.

LLYGODEN FAWR

Yn rhad myn graidd yr ydau—o'r storws
   O dorri drwy'r muriau;
   A wêl ei hil yn amlhau
A wêl fyd o glefydau.

BWCH GAFR ERYRI

Breiniol grwydryn y bryniau,—cawr y banc,
   Acrobat y creigiau;
   Mae hwn â'i hwrdd yn mwynhau
   Unbennaeth ar y bannau.

OEN BACH

Ganed i'r ddafad gynnau—aer hygar
   Egwan ar ei goesau;
   Buan y bu yn bywhau
   Ei gwmpas gyda'i gampau.

Y LLWYNOG

Gwelais y ci digoler—ddôi o'i ffau
   Yn ddi-ffws bryd gosber;
   Tuthiai'i ffordd ar ystwyth ffêr
   A'i frest yn llawn cyfrwyster.

Mor ychydig yw digon
I'r rhai a graf daear gron.

Drwg o hyd i rwygo hedd
Ydyw'r gŵr heb drugaredd.

Y wlad na welodd flodyn
Ni wêl dwf i gynnal dyn.

Gwelir na lwydda golud
Yn llaw'r balch i wella'r byd.

Ebrwydd y cwympir ceubren,
Rhaid gŵr craff os praff yw'r pren.

Offer dur fo'n segur sy'
A rhwd yn eu herydu.

Mae'r hil o hyd yn mawrhau
Y lloi aur a'u hallorau.

Ni all un bom wella'n byd
Na gwahanfur greu gwynfyd.

Yn y dirgel ni chelir
Na gwyniau na nwydau'n hir.

Yn fynych iawn awn yn ôl
I hoff fannau'r gorffennol.

Wedi'r golled y dwedyd
Heb eiriau yw'r gorau i gyd.

Ynni pren nid yw'n parhau
Os bregus yw y brigau.

Ffordd i leihau dyddiau du
Yr unig yw eu rhannu.

Ni chronna mwg uwch 'run man
Na'r enfys yn yr unfan.

Onid tarth neu ewyn ton
Ydyw addo'r gwleidyddion?

Gwêl pawb nad oes dim croeso
Os yw'r glwyd a'r drws ar glo.

Gorau camp yw agor cwys,
Nid yn gam ond yn gymwys.

Llawenydd i bob llinach
Yw sŵn plant sy'n epil iach.

Llwybyr caeth yw'r llwybyr cul
I'r gwych, 'run modd â'r gwachul.

Gŵyr y byd mai agor bedd
Wna dial yn y diwedd.

Gwir Gristion yw ffynhonnell
Bywyd gwâr sy'n gwneud byd gwell.

Wedi gweled y golau
Daw rhyw nerth i'n cadarnhau.

ENGLYNION Y BLODAU

YR EIRLYS

I wyddfod hin anaddfwyn—mae yn dod
    Er mwyn dweud fel morwyn
    Yn ei gwenwisg bod gwanwyn
    Gerllaw i ail wisgo'r llwyn.

CLYCHAU GLAS

Gwêl wrth droed bryncyn coediog—y miloedd
    Ymwelwyr yn serchog;
    A'r undyn a fyn wrando
    Glyw wych gân o glych y gog.

GOLD Y GORS

Ymledodd dros y rhosydd—a rhoi'i goeth
    Aur o gylch fel gemydd,
    A'i olud o'n haul y dydd
    Yn rhoi gwên ar y gweunydd.

BLODAU'R EITHIN

I'n trem, maent fel euremau—a wisgir
    Am berthi'r llwm barthau,
    A hap eu rhawd yw parhau
    Drwy eu hudol ffrwydradau.

GLASWELLTYN (*TYGRIDIA*)

I neb sy'n ei adnabod—un difawr
    A'i dyfiant yn hynod,
    Blodyn del, bu'i weld yn dod
    I'w oes undydd yn syndod.

RHOSYNNAU

Teulu'r sidan betalau—a rwymwyd
    Â rhamant a chwedlau,
    Rhai hyglod eu haroglau
    Y mae'r hil yn eu mawrhau.

Y MEILLION GWYNION

Da'u ganed o eginyn—yn ddeiliaid
    I ddolydd y dyffryn;
    Hael ged eu ffiolau gwyn
    Yw'r gwin a ddena'r gwenyn.

RHOSOD GWYLLTION

Er a geir yn rhagori—mor heulog
    Amryliw mewn gerddi,
    Ger y foel rhai garaf i
    Ydyw rhosod y drysi.

Y PABI

Meddylier am ei ddelwedd—yn harddu
    Gwrid hwyrddydd y llechwedd
    Yn hytrach nag yn Nhachwedd
    Ar ran y byw'n addurn bedd.

Od yw'n bro o fwyd yn brin
Ein crynhoi sy'n creu newyn.

Os câr neb bro ei febyd
Ni ry' bwys ar grwydro byd.

Gŵyr y doeth bod gorau dyn
I'w gael 'mhob unigolyn.

Er ceined ydyw'r canu
Ni rown dâl i'r deryn du.

O gael gwynt helynt ehed
Y gohebwyr fel gwybed.

A feddo gwir gelfyddyd
Fe all efô wella'i fyd.

I lu o'r hil moli'r Iôn
Yw dwyfoli adfeilion.

Gorau arf cynnen gennym
Ydyw llafn y tafod llym.

Gwelwn nad perchen golud
Er ei aur sydd biau'r byd.

A niwl yn eu hanwylo
Crug â brath yw creigiau bro.

I frân o bell fe rown barch,
I eryr yma rhoi amarch.

Twf ein tir ni fydd iraidd
Oni fo'n gryf yn y gwraidd.

Yn y moroedd mae meirwon
Heb ddim maen bedd man y bôn'.

Cawn hewl lawn i'r canol oed,
Hewl unig a wêl henoed.

Ofer pob ymarferiad
Heb yr un dyfalbarhad.

Wedi gwae hirlwm gaeaf
Duw a rydd gyflawnder haf.

Rhad i bawb yw rheidiau bod
Ddaw ichi oddi uchod.

Mae'r llu a wybu aberth
Yr ail filltir o wir werth.

Rhydu neu ryw bydru bod
I'n gwyrda yw segurdod.

Ar y ffordd mae'r call a'r ffôl
Yn hynod o wahanol.

Ceir anwar 'mysg y llariaidd,
Bu rhai brith ymhob ryw braidd.

Mwyna byw mewn man na bo
Un byth yn anobeithio.

ENGLYNION YR ADAR

YR ALBATROS

Dros gefnfor De'r Iwerydd—gwêl hedwr
Sy'n gleidio mor gelfydd;
Cawr doniog hir adenydd,
Uchelwr i forwr fydd.

Y CRËYR GLAS

Gwêl y ffel ar heglau ffyn—â'i dalent
Yn delwi'n y baslyn;
Daliwr glew hyd lawr y glyn
Bob adeg heb abwydyn.

ERYR Y MÔR

Tryfer o'r uchelderau—a saetha
Yn syth at y tonnau,
A dêl â'i fwyd o'i helfâu
Yn hongian o'i grafangau.

BRÂN Y GORS (*RAVEN*)

Ni ry' ias i ymryson,—mae yn giwt,
Myn gig heb ymdrechion;
Oeda lle ceir y meirwon,
Eu tir hwy yw pantri hon.

Y BARCUT

O'r nen uwchben y bannau—yn hwylus
Mae'n hela'r cyffiniau;
Daw â'i wledd o'r goleddau
Yn fwndel mewn gefel gau.

BRÂN TYDDYN (*CARRION CROW*)

Hen gnawes na fu duach—ei golwg,
    Fe'i gwelwn fel henwrach;
    'Run bowld sy'n dallu'r ŵyn bach
Â'i gylfin yn y gilfach.

PIODEN

Un lwys mewn gwisg eglwysig,—ail lleian
    Y lluoedd Catholig,
    Â'i defosiwn difiwsig
Gyr ryw ias drwy gôr y wig.

TYLLUAN

Na, nid dall ond deallus—â llygaid
    Gwyll-agor liw manus;
    Un astud fel hen ustus
Fo'n cael lle ar fainc y llys.

Y GWCW

Daw i hudo â'i deudant—yn yr allt
    Y rhai a'i disgwyliant;
    Hon a fyn yr hen fwyniant
A gado'r plwyf godi'r plant.

Y GÏACH

Rhagori y mae'r gïach—o'r hanner
    Ar ynnau y crachach;
    Draw i'w nyth hed adre'n iach
O droelli'n strim-stram strellach.

Y DRUDWY

Yn gawod cyn y gaea'—a'i dywydd
    Y deuant i loffa;
A genfydd eu disgynfa
Wêl hir dorf â gwylwyr da.

Y FRONFRAITH

Mi wn mai'r fronfraith weithian—y geinaf
    O ganwyr côr anian
    Â'i hudlais yn y goedlan
Liwia'r gainc a dyblu'r gân.

YR HEDYDD

O'r braidd cyn i'r boreddydd—roi'i heulwen
    Ar aeliau y mynydd,
O raid y cân yr hedydd
Eurwych dôn i gyfarch dydd.

Y WENNOL

Daw'r hin a dry y wennol—o'r ardal
    I'r hirdaith ryfeddol;
Oni syrth yna'n wyrthiol
Daw i'r un nyth adre'n ôl.

GLAS Y DORLAN

Smalio mae'r glas a melyn—o wernen
    Uwch cornant wrth ddisgyn
Tua'r hafn, fel llafn i'r llyn,
Droi'n lliw dur yn lle deryn.

27

Y WENNOL DDU

Ni welwyd dim yn chwimach—ar adain
    Yn rhwydo gwybetach,
    Na'r un deryn yn daerach
    Yn dod â'r bwyd i'w rhai bach.

YR EOS

A stŵr daear yn aros,—haenau hedd
    Yn enhuddo'r cyfnos
    Rydd yr awydd i'r eos
    Fwrw'i nwyf i aer y nos.

LLWYD Y TO

Bandit nwyfus y bondo—ail agos
    I flagard ei osgo
    Llawn swae, a mynych ffraeo,
    Dihiryn twt, 'deryn to.

TITW TOMOS LAS

Yn ei diwnig sidanaidd—un buan
    Bywiog a charuaidd
    O dras rhai bras, beiddgar braidd;
    Corbwtyn acrobataidd.

ROBIN

Hawdd yw'r hel yn nyddiau'r ha'—a'r ymborth
    Ar hambwrdd cynhaea';
    Anodd yw'r hel pan ddaw'r iâ,
    A rhaid it yw cardota.

Y DRYW

Y dryw bach o adar byd—yw'r corrach,
    Ef yw'r cariad hefyd
  A fag lwyth yn dyrfa glyd
  Yn ei iglw mwsoglyd.

Geiriau cras a ladd draserch,
Sêl a swyn yw seiliau serch.

Da i fyrdd fai 'styried faint
Ydyw gafael digofaint.

Ysgwyd llaw â gwasgiad llon
Yw gafael mewn atgofion.

Deuwell yw y bywyd llawn
A roddir i'r amryddawn.

Gwŷr heb ras sy'n hagru bro,
Gwŷr addwyn sy'n gwareiddio.

Os methwn gael esmwythyd
Bwriwn y bai ar ein byd.

Un gâr y pethau gorau
Yw'r bod sy'n gwrthod y gau.

Diystryw a diwastraff
Yw geiriau prin y gwŷr praff.

Un fo'n gam ag ofn y gwir
A lunia'r chwedlau anwir.

Gwiw y dyn a geidw'i air
A'i addewid yn ddiwair.

Drwy gynnydd mewn drygioni
Diddan awr yw'n dyddiau ni.

Gwantan yw cyngor annoeth,
Angor da yw cyngor doeth.

Twf egin sy'n gyfrinach
Tu fewn plisgyn bywyn bach.

Rhyw fod afryw yw rhywun
Na fawrha ei fro ei hun.

Ni all tlodion na bonedd
Gorau eu byd osgoi'r bedd.

Ni ŵyr neb am awr yn waeth
Na'r awr pan dery hiraeth.

O fod yn hoff o loffa
Y daw'r doeth o hyd i'r da.

Un nos hir heb nos arall
Ydyw dydd ym myd y dall.

Ail lam yw cam ieuanc oed,
Manach yw camau henoed.

O fagu hen genfigen
Yn fuan iawn awn yn hen.

Er y saint mae i'r oes hon
Fwy a mwy o amheuon.

Donio'n dydd wna dynion da
A'u dylanwad a lyna.

CATH

Â'i chrwth y daw yn llawen—gyda'i harf
   Geidw hi'n ei phawen
Nes i'r awch a'r un sawr hen
Ei hudo i faes llygoden.

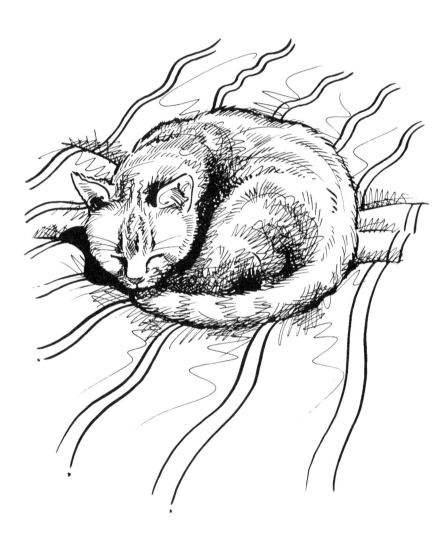

YR OES HON (Oes Od)

Oes ddiwaith nid oes ddiwyd,
Oes drahaus ar lôn a stryd;
Oes hir ei chri am serch rhad,
Oes gyrru am ysgariad;
Oes cyffur a seguryd,
Oes a wêl ond pres o hyd;
Oes o ddifri'n oes ddifrawd,
Oes a rydd ei ffydd mewn ffawd;
Oes â'i hunllef o glefyd,
Oes y cranc, yr 'Aids' a'r cryd;
Oes ddialgar ddigariad,
Oes i'r hen yn llawn sarhad;
Oes ddi-graidd ac oes ddi-gred,
Oes ofer â'i blys yfed;
Oes â'i bâr ar draws y byd,
Oes beio gormes bywyd.

TYNGED YR IAITH

Heb anair y bu unwaith
Yn llafar hwyl, gŵyl a gwaith,
A chyfrwng moes a chyfraith.

Ffynnai'i ffawd o ffin i ffin
A'i geiriau ar fant gwerin;
Braenodd ym mhlas y brenin.

Yna camfarn roed arni
Yn ddyfal i'w hatal hi,
Anfadwaith i'w difodi!

Ni bu her i achub hon
Rhag loes y Llyfrau Gleision—
(Beiddgar gyfrwystra'r estron.)

Llu'r bobol fu'n addoli
A leisiodd o'u heglwysi
Mai ofer ei harfer hi.

O ddydd ein galw'n ddiddysg
Ni roddwyd i'n wir addysg—
Cyflyru fu'n dallu dysg.

Ni threiodd rhai athrawon
Greu hyder i arfer hon
A'i golud, mewn ysgolion.

Er ei lluddias dôi'r llwyddiant
I'w gwarchod rhag difodiant
O faes plwyf, ar wefus plant.

Yr un bai, y 'prin â bod'
Fu ymgyrchu i'w gwarchod,
A'r 'rhai mawr' mor amharod.

Er holl sarhad y bradwyr
Hon a gaed yn denu gwŷr
Fu'n fodel o fewnfudwyr.

Ias i'r glust yn sir y glo
Yw ei sŵn yn atseinio
O'i thrin ym Merthyr heno.

Iddi cawn nawdd y ceunant
Ar y ffin, lle daw'r ffyniant
Drwy y nwyf yn hendai'r nant.

Un â thrais fu'n llunio'i thranc,
Eto'n gryf tyn o'i grafanc
A'i thwf yn gydnerth ifanc.

Er ingoedd a her angau,
Y rhuddin yn ei gwreiddiau
Bair i hon o hyd barhau.

Yn llu'r hil a llawer ach
Mae rhai trwm a rhai trymach.

Heb ei rym ni bu yr un,
Heb wendid ni bu undyn.

Ni ddaw inni'n nydd henoed
Yr un camp â'r ieuanc oed.

Diau mai ceisio deall
Nid nacáu a wna dyn call.

Gwell yw addef y gwallau
Fu i ni na'u cyfiawnhau.

Dal i geisio rhagori
Ar hyd ein hoes raid i ni.

Crocbren am ladd ga'dd un gŵr,
Moliant a ga'dd y milwr.

Er budd pawb a gyhuddir
Diau gwell yw dweud y gwir.

Mi roddwyd i'r amryddawn
Y gwir ddysg a eura ddawn.

Diogel yw gochelyd
Un â'i wedd sy'n wên o hyd.

Mae'r byd bron i gyd ar goedd
Wedi gwrthod y gwerthoedd.

A dur yn rhemp droi'n y rhod
Ail gefail yw y gofod.

Oes a gâr ei seguryd
Ni all hi byth wella'i byd.

Boed a fo, heb adfywiad
Marw'n glwt wna Cymru'n gwlad.

Na thyr yr ysgrythurau,
Fe ddaw hedd o ufuddhau.

Yr oedd i Gymru ruddin,
Ble mae sydd yn broblem in.

Er ein dawn i gronni da,
Heb ddim â pawb oddi yma.

Uno gwŷr o hyd wna gwên,
Eu gwahanu wna'r gynnen.

Tila ŷm i atal haint
Neu ddofi dioddefaint.

Nid dihirod ond dewrion
Ddaw â'r hedd i'r ddaear hon.

Os cas yw'r neb o'i febyd
Ni ddaw fawr o hedd i'w fyd.

Yn y gwych fel yn y gwan
Hunanol yw'r hen anian.

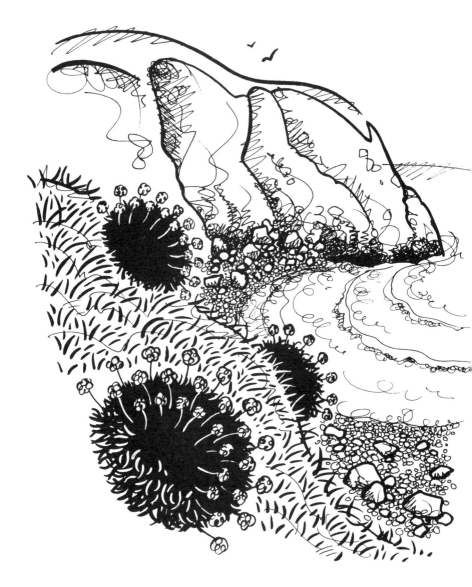

CLUSTOG FAIR (*THRIFT*)

Gwelir y tonnog olud—yn chwifio
   Uwch hafan yn unfryd;
   Min y graig fu man i grud
Un o wychliw y machlud.

PENILLION

Combein mawr, dau ŵr a lori
Welir yn y caeau'n medi,
Dim ond llun yng nghof yr henwyr
Yw cymdeithas o fedelwyr.

★

Os bydd y maes yn ffrwythlon
A'i dwf yn las a chyson
Nid â creadur dros y gwrych
I edrych am ryw loffion.

★

Hawdd byw lle mae cyfaredd,
Cyd-dynnu ac edmygedd,
Ond cariad pur er cyn bod co'
Ni thrig lle bo eiddigedd.

★

Yr un a ddiflasa'r
Gorau ymddiddan
Yw'r un na all siarad
Am ddim ond ei hunan.

★

Hen ŵr dros oed 'r addewid
Achwyna ar ei wendid,
Ond os clyw air i danio'r co'
Daw cyffro'r hen gadernid.

★

39

Trigo 'nghyd sy'n haf o brofiad
Pan fo dau mewn cwlwm cariad,
Ond cyd-fyw sy'n aeaf parod
Pan fo'r cwlwm wedi datod.

★

Addysg estron fu'n cyflyru
Rhai fel ni, i'n cael i gredu
Mai yn Lloeger y ceir pobl
Hollalluog hollwybodol.

★

Hanfodol gynt i'r grŵp llwyddiannus
Oedd lleisiau mwyn a chân soniarus,
Ond heddiw'r hyn sy'n angenrheidiol
Yw bloedd, ysgrech a 'stumiau rhywiol.

★

Drwy'r lloerennau fe gawn brofi
Nifer helaeth o sianeli,
Arnynt gwelwn yn ddiamau
Fwy o rwtsh am fwy o oriau.

★

Lle bo cysgod hen gasineb
Gwelir gwg yn hagru'r wyneb,
Ond mae'r golau yn y llygad
Yn disgleirio lle bo cariad.

★

Pan fo dyn yng ngŵydd llawenydd
Mae gan amser chwim adenydd,
Ond pan ddêl gofidiau heibio
Traed o blwm sydd wedyn ganddo.

★

Drwy'r un ffordd down yma i gyd
Ond 'run modd nid awn o'r byd;
Nid yr un yw'n llwybrau 'chwaith,
Ond yr un yw pen y daith.

★

I'r ddeuawd gadw'n bersain
Heb reswm droi yn unsain,
Rhaid bod yn garcus gyda'r dweud
A gwneud y pethau bychain.

★

Ffolineb o'r mwyaf
Yw canmol y dyn
Sydd byth a beunydd
Yn ei ganmol ei hun.

★

'Slawer dydd pan drengai cariad
Anodd iawn oedd cael ysgariad,
Ond yn awr mae newid gwrage'
Bron yn haws na newid 'sgidie.

★

I'r wraig a'i chymar weithiau
Hawdd iawn yw gweled beiau,
Ond llawer gwell yw bod yn gall
A ffugio'n ddall ar brydiau.

PEDWAR TYMOR

Ar ôl tymhestlog dywydd
Fu'n 'sgubo'r ardal beunydd,
Daw'r fron yn fyw gan branciau'r ŵyn
A'r gwanwyn ar ei gynnydd.

Mae'r henfro ar ei gorau
A'r haf yn lliwio'i herwau,
A chreu yn gyfrin gyda'i wres
Y tes sy'n crynu'r bryniau.

Fe dry yr haf yn hydre'
A'r grug yn rhuddo'r llethre,
Gyr wyntoedd oriog sy'n cryfhau
Y preiddiau lawr i'r hendre.

Daw'r gaeaf yn ei gyfnod
Â'i amwisg wen i'r hafod,
A channu brigau drain y gwrych
Sy'n grych fel bysedd gwrachod.

Yn ddiau am feiau fu
Oferedd yw difaru.

Ar Saran gwrendy'r annoeth,
Ond geiriau Duw gâr y doeth.

Yn unol â'u hen anian
Gwŷr ag aur sy'n gwasgu'r gwan.

Bwriad pob gwir feirniadaeth
Yw cymell gwell lle bu gwaeth.

Ni fu lân un man aflêr,
A heb lendid bu blinder.

Dwfn hud hen wlad fy nhadau
Yn y pridd sydd yn parhau.

ER COF AM
Y BRAWD CALEB REES, M.A. H.M.I.
(*Mab Esgair-ordd a Phrif Arolygydd ysgolion Cymru*)

Un a wybu nerth yr oesol werthoedd,
O wyneb cadarn hil Beca ydoedd;
Ei rym a naddwyd ar y mynyddoedd
Â chŷn awelon dan lach y niwloedd;
Beunydd gwas bonheddig oedd—yn ein mysg,
A heulwen addysg fu drwy'i flynyddoedd.

Dreigiol o fro'r Foel Drigarn
Oedd a'i gyff o graidd y garn;
Carodd ei llwm aceri
A rhoi gwres i'w hanes hi.

Un abl ei barabl a'i ben,
Mwyna' llyw cwmni llawen;
Un o'i fodd a roddodd rin
Ei afiaith i'w gynefin.

I dawelwch ei dalaith
Y daw yn fud i'w hun faith
O'i ddwyn yn niwedd einioes
I'w hen grud ym Mhen-y-groes.

ER COF AM
MRS OLIVE SAMBROOK, CYD-ATHRAWES

Gwraig wylaidd â gwir galon,—un llawen
'Mysg llu o gyfeillion;
Â'i hirddydd hael rhoddodd hon
O'i habledd i'w disgyblion.

YNG NGHWRDD COFFA
W. R. EVANS

Un fu o'r hil a fawrha
Ei gwehelyth a'i Gwalia;
Yn llu'r dewr ers llawer dydd
Dyma enaid y mynydd.

Ef a roes o'i lafur hael
I'r ifanc heb ymrafael;
I Fwlch y Groes fe roes fri
A'i raen ar Fois y Frenni.

Mi rôi ias i'r Ymryson
Â'i ddiddichell linell lon;
Dewin oedd â'i lydan wên
Yn llywio nosau llawen.

Dyfedeg fu'i dafodiaith,
Synnai'r Ŵyl â swyn yr iaith
I fireinio'i gyfraniad
A llenwi'i le'n llên ei wlad.

'Nawr, i'n harlwy ni mwyach—ni ddaw'r gŵr
Nyddai'r gân ysgafnach
Er llonni câr a llinach
Â mawr hwyl ei hiwmor iach.

Heno'n frwd, yn ei hen fro
Ag afiaith fe gawn gofio
Y fwyn wên sy'n fyw'n ei waith
A'r hoen a roes i'r heniaith,
A cheir llu sy'n parchu'r llwch
Lle gorwedd cyfeillgarwch.

ER COF AM
CAPTEN DANIEL EVANS, ABERGWAUN

Mennodd henaint mohono—na rhoddi
 Rhyw eiddil liw arno;
 Yn ddi-wadd i'w annedd o
 Hen deirant ddaeth a'i daro.

Bwrw'i nwyd un hwyr brynhawn—a darnio
 Y cadernid uniawn;
 Wedi'r storm ni a dristawn
 O gofio'r fordaith gyfiawn.

Dygwyd yn ei chwedegau—ŵr hyddysg
 A roddodd o'i ddyddiau
 I'r llyw, angor a llongau
 Ar hen fôr a'i ddychrynfâu.

Un o reddf fedrai leddfu—eu gwaeau
 I'r gwyw a'r diallu;
 Un â naws i'n cynhesu,
 Bonheddwr o forwr fu.

Bu i'r criw'n ŵr heb air cras,—nid yn deyrn
 Ond yn dad cyfaddas,
 Un fu'n driw i'w hyfwyn dras
 A gerddodd gydag urddas.

ER COF AM TOM BEYNON, ABERGWAUN

Gŵr annwyl i'w garennydd,—gŵr garai
 Y gorau na dderfydd;
 Gŵr di-ffws ei gred a'i ffydd,
 Gŵr o gryfion gwir grefydd.

ER COF

JOHN GARNON, ABERGWAUN

Cyfiawn athro fu Ioan,—â'i lewych
Goleuai fro gyfan,
A mynnu rhoi mwy na'i rhan
Oedd rhinwedd ei wir anian.

★

MRS EMLYN FRANCIS, ABERGWAUN

Gwae rhoi llonder i'r gweryd,—rhoi un fwyn
I'r hen fynwent oerllyd;
Bu'n wraig dda, bu'n wraig ddiwyd
A gwâr oedd ei gair o hyd.

★

MRS WYNFORD LAWRENCE, TREFIN

Un o ffrwd anghyffredin—a thrwyadl
Athrawes byd meithrin;
Carodd 'hen bethe'r' werin,
Fe'u carodd, rhannodd eu rhin.

★

MR IFOR HARRIES, ABERGWAUN

Agored gwledig erwau—a garai
Gwron y llu crefftau;
Un oedd ef fu yn ddi-au,
Yn ffel ar drin ceffylau.

★

MRS M. HUGHES, REHOBOTH, MATHRI
(*'Mam' y grŵp, Bois y Felin*)

Un ddoniodd yn ddihunan—ei theulu
  Â'i thalent yn gyfan;
  Mam lon fel hon a'i hanian
  Yw golud gwych Gwlad y Gân.

★

ER COF AM Y CHWAER MEGAN LLOYD ELLIS

Y goethferch a wybu gaethfyd—o weld
  Anhwyldeb o'i mebyd;
  Er y boen a heriai'i byd
  Heb awen ni bu'i bywyd.

Er i faich yr afiechyd—ei chlwyfo
  Ni chlwyfwyd mo ysbryd
  Un feddai ar gelfyddyd
  A'r ddawn bert i harddu'n byd.

★

WM JAMES, UN O'R 'BRODYR JAMES'
tîm un teulu yng nghystadleuaeth 'Talwrn y Beirdd'

Llydan yw'r adwy mwyach—ar ôl un
  Rôi law i'r rhai gwannach,
  A gŵr oedd o gywir ach
  Fu yn golfen i'w gilfach.

48

MRS T. J. WILLIAMS, CAERAU, TREFIN

Collwyd dan bang yr angau—un a fu
Yn fwy na'i blinderau;
Diau'r nef all gadarnhau
Mai cariad oedd 'Mam Caerau'.

★

Y BRAWD JOHN EDWARDS, BEREA

Er rhoddi yn hedd y beddau—y gwron
A garai'r caniadau,
Hael nwyd ei gyflawn nodau
Yn yr hil fydd yn parhau.

★

WILLIAM GEORGE, BLAENFFOS
(neu Bil Maen Coch)

Cymdogaeth sy'n hiraethu—daearu'r
Diweiraf o Gymry;
Un di-ail o hen deulu,
Cawr o fath y cewri fu.

ENGLYNION AMRYWIOL

EIN GWLAD

Bu inni'n hanibyniaeth,—ein hanes
  A'n hunanlywodraeth,
Ond rhyw hen ddelff estron ddaeth
I faeddu'n hetifeddiaeth.

★

PEN CAER

Yn fynych caf fy hunan—ar Garn Fawr,
  Garn Folch neu Garn Fechan
Lle mae hynt y gwynt a gân
Ar alwad leddf yr wylan.

★

Y PRESELI

Er eu henaint bu'r bryniau—yn gadarn
  Geidwad traddodiadau
Y genedl, a'r holl chwedlau
Y mae'r hil yn eu mawrhau.

★

NANHYFER

Nanhyfer, llan offeren—mangre cred,
  Mangre croes ac ywen,
Lle gwelir yn cochi'r cen
Y gwaed a red o'r goeden.

★

50

HEN LOFA

O gylch y gwaith mae diffeithwch—a'r ffordd
    I'r ffas yn anialwch,
    A'i rheiliau 'nawr a welwch
    Nos a dydd dan lonydd lwch.

★

GWANWYN

Pan lonna'r ŵyn y twyni—a'r eirlys
    O'r hirlwm yn codi,
    Â graen iawn 'rhyn garwn i
    Yw arlunio'r aileni.

★

EWYN

Gwawn arian i'r genweiriwr,—aerwy gan
    Geir o'i gylch i longwr;
    Gwe can ar frig y cynnwr,
    Gwên y don yw gwyn y dŵr.

★

HWYRDDYDD

A'r cyfnos ar y rhosydd—yma'r wyf
    Am arafu'n ddedwydd
    Efo'r dasg o ail-fyw'r dydd
    A'i rannu â charennydd.

★

CWSG

Mae i weithwyr esmwythyd—yn ei gôl
  Wedi gwaith eu blinfyd,
  Dofwr niweidiau hefyd
  A gorau balm gwaeau'r byd

★

BAI

Mae bai yng nghwlwm bywyd,—oni fu
  Inni feiau rywbryd?
  Ond teg yw addef hefyd
  Na fu gŵr sy'n feiau i gyd.

★

Y DELYN

Rhodd euraid i gerddorion—i gynnal
  Datgeiniaid yn gyson;
  Daw o hyd o nodau hon
  Gynhaeaf o ganeuon.

★

PAPUR BRO

I'm hoes y byrbryd misol—a chynnyrch
  Uned gydwybodol;
  Pryd teulu yw, pryd di-lol
  A bwyd llwy bywyd lleol.

★

CYFFES

Rwy'n fab sydd yn cydnabod—mawr fu 'mai
  Er fy mod yn gwybod
  Mai'r hen big sy' 'mron ein bod
  Ydyw ebill cydwybod.

TEYRNGED

Brolied brenin ei llinach—a gemu
Ei gymar, sydd hwyrach
Yn wych ferch o'r uchaf ach,
Mae gennyf ei hamgenach.

★

DRWS CLO

Dôr heb blât ar dir y plwy'—i'r dyrfa
Ar derfyn y tramwy;
Er y siarad am dradwy
Gwiria myrdd nad egyr mwy.

★

BUGAIL

Gwâr farwnig ar fryniau—a'i dalaith
Yw'r dolydd a'r llethrau;
Un o radd 'nabod preiddiau
A wylia ffyrdd hil y ffau.

★

TWLL
(yr un yn yr osôn)

Gennym yr oedd llen gynnau—gadwai'r aer
Rhag y drwg belydrau;
Drws agored dros gyrrau
Heddiw geir heb fodd i'w gau.

LLWCH I'R LLWCH

Diau rhan o'n daear ŷm,
Ychydig o lwch ydym,
I'r anfad a'r credadun
Mesur Duw yw amser dyn;
O bob gradd rhywbryd graddiwn
I'r unig radd a'r un grwn.

Cofier na roir y cyfan
Yn y blwch yn llwch y llan.
Bydd y cof yn boddi cur,
O hwn fe geisiwn gysur.
Try y llu adegau llon
Yn gyfoeth o atgofion;
Darn o hud o'r hyn a aeth
Ac sy'n aros yw'n hiraeth.

MEDI

Nid oes gwaith i gymdeithas
O wŷr plwyf ar dir y plas;
Peiriannau pur wahanol
Sydd i'r ddau sydd ar y ddôl;
Rhain a brawf ar erwau'n bro
Mai buanach combeino,
A hyn sydd yn haws iddynt—
Gado'r gwellt i gyd i'r gwynt.

Nid oedd gêr y dyddiau gynt
I'w swydd yn addas iddynt,
A'r wedd ni welir heddiw
Na rhin na graen yr hen griw.

Y CREFFTWR

Gwâr y gŵr a gâr y gwaith
O greu inni gywreinwaith;
Efo'i ddawn mae'n ufuddhau
I realaeth rheolau.
Pwy a wad na fu'i siop waith
Yn dŷ'r craffter a'r crefftwaith.

Dyled brid yw dyled bro
I ddilys waith ei ddwylo;
Hebddo ein bro fyddai'n brin
O'i ffrydiau anghyffredin;
Yn y plwyf ni fyddai plas
A diannedd fai dinas;
Ni ddôi gŵr i naddu gem
Na seilio'r un Gaersalem.

ETIFEDDIAETH

Un ddi-dor yw galwad ein cyndadau
O'u hen ogoniant i'n hannog ninnau
I glirio'r wig o grogwr y brigau
A rhwygo'r eiddiw sy'n tagu'r gwreiddiau,
I rwystro anfad fwriadau'r—estron
A'i fryd yr awron ar fradu'r erwau.

EIN PRIODAS AUR

Yn eglur ac yn hyglyw
Y daeth serch at ferch yn fyw;
Un eurben fedrai ddenu
Llawer llanc yn well o'r llu,
Roedd yn gun ei llun a'i llais,
Heb hir oedi priodais.

Llawn bywyd diwyd tawel
Chwe chan mis a fu'r mis mêl;
Un hawddgar fu 'nghymhares,
O'r rhai gwych y gorau ges,
Un â dawn y dihunan
A noddai glyd annedd glân,
Un fwyn ddaeth imi'n fanon
A rhodd o aur haedda hon.

MACHLUD

Dros y rhos mae hwyrnos haf
   Yn dirwyn yn llwyd araf,
A gwelwn yn ei golau
   Ambell le yn ymbellhau.

Â'u redar 'nawr adar nef
   Â'n gydryw tuag adref,
A'r dalaith ar dawelu
   I wrando hoen 'deryn du.

Dyma'r awr daw gwawr y gwin
   I greu lliwiog orllewin
A'i adlun fel pe'n odli
   Â gwar llwyn ac erwau lli.

Cawn awr fwyn, mae'r cynnwrf fu
   A'i ryfyg yn arafu,
A thangnefedd diwedd dydd
   Yn rhoi gŵn ar y gweunydd.

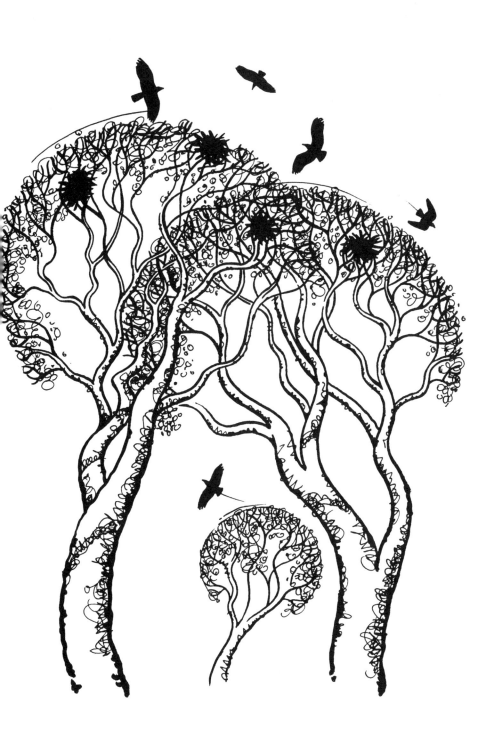

GWOBR

Bu raid i bob gewyn bron
Yrru fel pethau gwirion;
Mor iasol fu'r ymryson
A rhyw lu yn ysu'r lôn;
Llu a fyn mai ennill fydd
Yn llunio'u holl lawenydd.

Lle'r own am ennill y ras
Nid oedd im ddillad addas;
A ches wers mai'r ymdrech sydd
Yn well i bob enillydd
Na'r gwobrau gorau i gyd
Er rhifo'r rhai aur hefyd.

CYWYDD YSGAFN: SŴN

Ni ŵyr neb yn oriau'r nos
Wedi'r wawch be' 'dy'r achos;
A fu rhith yn crwydro'r fro
Yn anwel, i'n dihuno?
A fu'r gwynt yn tarfu'r gwŷdd
Yn fileinig aflonydd,
Ac ar y clos gyrru clawr
Â ias anfad o seinfawr?

Pipais, a meddwl popeth,
Poeni pen, pwy wnâi y peth?
Craffu rhyngof a'r gofod,
Dim un i'w weld, mae yn od.

At gymar anghymharol
Gwasgu wnaf i gysgu'n ôl.

Y WERIN

Tyrfa gaeth llywodraethau,
Hon yw'r un sy'n dwyn yr iau;
A chaed briff i warchod bro
Yn ei dyddiau dieiddo;
Hi'r fyddin, a rhyfeddod
Fu ei byw yn crafu bod.

Rhyw dorf fawr a di-arf fu,
A thorf nad doeth ei tharfu.